L.A.[1]

몸의 근연성(近緣性)에 관한 짧은 이야기

I

나는 지정된 기차 좌석을 찾아 가방을 챙겨 넣고 앉아서 기다린다. 차창은 캄캄하다. 지하 터널이다. 몸집이 큰 붉은 머리 남자가 통로를 걸어온다. 풍성한 붉은 수염, 붉은 격자무늬 셔츠, 떡 벌어진 탄탄한 가슴. 그가 화장실로 들어가 문을 닫는다. 기차의 일상이 이어진다. 통로를 오가는 사람들, 짐 가방, 독서등, 흡연과 음식물 섭취에 관한 안내방송. 하지만 무슨 소리가 들리기 시작한다. 어릿광대가 내지르는 것 같은, 풀쩍풀쩍 뛰거나 고개를 흔들면서 내지르는 것마냥 마구 흔들리는 소리, 아니면 모든 희망을 잃고 궁지에 몰린 짐승의 소리. 이제 소리는 무슨 뜻인지 분산되지 않는, 반복되는 후렴구 같은 온전한 문장을 외치고 있다. 아이인가? 사람들이 설왕설래한다. 화장실 문을 한번 열어봐야 하지 않나, 안에서 잠겼을까? 그 남자 들어가는 거 봤어? 그 사람 몸이 불편한 거 같던데, 그렇지 않았어? 승무원은 어디로 갔지? 이제 다른 행성에서 벌어지는 그의 인생에 관한 장황한 푸념이 우리를 덮치고, 얇은 벽이 상당히 울렁거린다. 책을 읽고 있기가 힘들다. 나는 자리에서 일어나 통로를 따라 걸어가서 화장실 문을 연다. 아주 조금 열었을 뿐인데 안에서 불이 켜지며 종이 부스럭거리는 소리가 난다. 우는 소리는 나지 않는다. 나는 문을 닫고 자리로 돌아온다. 일상적인 기차의 소음. 잠시 후 화장실 문이 열린다. 그가 걷어 올렸던 소매를 내리며, 미소를 지으며, 이 사람 저 사람에게 고맙다고 인사하며 왔던 통로를 거슬러간다.

II

죽을 때 몸에서 떠나는 것은 연한 푸른빛을 내는 19그램의 우리다. 뒤에 남는 것은 다양하다. 에밀리 디킨슨의 개 카를로(1848~1866)가 떠난 지 일 년도 안 돼 다른 카를로가 애머스트시에 다섯 마리, 소설 속에 두 마리 있었다. 수백 년이 지난 뒤에 아테네시에서 지하철 공사를 하던 일꾼들이 개 무덤 하나를 발굴했다. 작은 다리를 여전히 오므린 채였고, 목걸이에는 푸른 구슬이 한 줄로 박혀 있었다. 이런 것들을 그릴 때는 '먼 붓'을 써라. 다시 적시지 마라.

III

보라 오늘 이 대단한 천 개의-파랑-
천 개의-하양-천 개의-파랑-
천 개의-하양-천 개의-파랑-천 개의-
하양-천 개의-파랑 바람과
길을 따라 불어가는 내 두 팔!

바로 지금
안전 조치 완료
유령들은
당신은 준비되었나요
나는 아무것도 없어요
진심 어린
무제한의 선택

L은 루[2]의 L 알파벳

바로 지금 이 순간
도끼 (사슴 아님)
셋의 만남
여기 이 시점에
지금 바로 지금

A는 앤디(Andy)와 그가 설명하고 싶은 기분이 아니었던 모든 것들의 A.

B는 차고 이우는 상표명들(Brand Names)의 B.

C는 이상한 여행을 앞둔 어머니 진정시키기(Calming)의 C.

D는 탐험가의 깊고 어려운 헌신(Devotions)의 D.

E는 모든 나무를 조금씩 하지만 유별나게 옮기도록 에드위나 격려하기(Encouraging)의 E.

F는 바다에 홀로 섰을 때 근본적으로 좋다고 느끼기(Feeling)의 F.

안전 조치 완료
바람 불어가는 쪽 몸짓들

조수의 들판
노 젓고 노 젓고 노 젓고

G는 세대차(Generational Gap)와 족보상 유령들(Ghosts)의 G.

유령들은 가젤처럼 쉬이
뒤로 앞으로
그리고 뒤로 훌쩍
미래 현재 과거를 뛰어넘고

H는 변치 않는 친구들 사귀기(Having Friends)의 H.

I는 즉각적(Instant)이어서 좋을 것 하나 없음의 I.

J는 허섭스레기(Junk)의 J.

K는 펑크(Punk)를 좋아한 적 없음의 K.

L은 룰루(Lulu)와 그녀를 사로잡았던 단순한 죄악들의 L.

M은 인(仁)의 대가(Master), 태극(太極)이자 보편적 초월적 약탈자인 에드거 앨런 포의 M.

당신은 준비되었나요?
가벼움에 사로잡혀
당신 뜬다
발가락들로부터

N은 뒤에 O가 오는 N.

O는 운이 딱 맞는 철자를 가진 단어가 하나도 생각이 안(No) 나는 O.

P는 늘 좋은 날 아니면 심지어 완벽한(Perfect) 날일지도 모를 모든 날의 P.

Q는 거의 절대로 간접적이지 않은 질문들(Questions)의 Q.

나는 아무것도 없어요 할 말이
웅장하고 아름다운 자작나무
그 너머의 무언가를 가로막고
노래를 시작하는 옆길

R는 이해할 수 없는 괴팍스러운 로큰롤(Rock 'n' Roll) 편애의 R.

S는 뭔가(Something) 진심 어린 일을 하고자 함의 S.

진심 어린 그리고 예술 작품 같은

T는 이 파티에서는 이 분(Two Minutes)이 최대치의 T.

U는 세련된 태도 밑에 숨은 다급한 장난꾸러기(Urgent Urchin)의 U.

V는 허영심의 벨벳 끈 바꾸기(Varying)의 V.

W는 와와(Wah-Wah) 페달과 와이트아웃(Wite-Out) 수정액처럼 진부해진 기술 알아주기의 W.

무제한의 선택
올빼미 하나 시냇물 하나
바람 줄기 하나
백색 소음
구구거리는 소리와 폭포

X는, 또 뒤에 O가 오는 X는 서명란 끝에 붙은 사랑(Love)의 X.

Y는 청춘의 복병과 해를 거듭하며(Year by Year) 거기서 벗어나기의 Y.

Z는 제로(Zero)의 Z, 제로의 어원인 산스크리트어 단어의 뜻은
빈
투명한
더는 두려워할 것 없음.

루의 의기양양함

위와 아래

우리에게 어떤 권리가 있는가

그가 명멸했던 곳

오직 구름 아래

그는 어떻게 웃었던가

기대치 않았던 일에

우선 당신은 생각하리라

'그는 왜 웃고 있지'

그러면 그가 정확하게 말하겠지

왜 그게 우스웠는지

그리고 그가 맞을 테고

그는 해냈을 테고

그는 다시 웃을 테지

해냈다는 것에

빛 속에, 천국들

그가 명멸했던 곳

문들이 바람에 흔들리고

아주 많은 계단

우리에게 어떤 권리가 있는가

위와 아래

오직 구름 아래

그가 명멸했던 곳

[1] 미국 아방가르드 예술가 로리 앤더슨(Laurie Anderson)의 이름 머리글자를 땄다. 자세한 내용은 이 책의 「공연 기록」을 참조하기 바란다.

[2] 루 리드(Lou Reed, 1942~2013)는 미국의 음악가이자 시인으로, 록 밴드 벨벳 언더그라운드의 기타리스트이자 가수 겸 핵심 작곡가로 활약했다. 반세기에 걸쳐 솔로 활동도 이어갔다. 로리 앤더슨의 남편이다.